굿바이 프로젝트

1

ᐯIㅇㅏㅂㅜㄱ
ViaBook Publisher

작가의 말

안녕하세요, 밤비입니다.

『굿바이 프로젝트』의 단행본이 나오게 되었습니다. 기다려주신 독자분들께도, 저에게도 기쁜 일이라 행복합니다.

『굿바이 프로젝트』는 삶과 죽음에 대한 이야기입니다. 죽음이 아무렇지 않게 된 시대, 즉 삶에 대한 권태를 맞이한 시대를 배경으로 하고 있는데요. 인간이 바라는 모든 복지가 완벽하게 구현된 통합정부국에서 이야기는 시작됩니다. 정부는 의식주를 모두 해결해주는 복지 서비스에 이어, '해피필스'를 만들어냅니다. 병의 회복과 수명 연장을 약속한 해피필스는 순식간에 팔려 전 국민의 환호를 얻습니다. 그러나 완벽이 언제나 행복의 동의어로 남아주지는 않습니다.

의식주의 완전한 보장과 병의 치료, 수명 연장. 사람들이 원하는 복지 국가의 이상이자 안락한 삶. 언뜻 듣기에 이를 원하지 않는 사람은 없어 보입니다. 누가 거절하고 싶을까요? 그러나 완전무결해진 인간의 삶을 손에 쥐고 이상적인 정점에 다다른 사람들은, 진실로 끝없는 삶의 반복을 기뻐할까요? 정점에 다다르면 그 자리를 발판으로 미래를 영위하고 싶은 자와 끝을 마무리하고픈 자로 나뉘게 될지 모릅니다. 자기 완결, 마무리 등으로 자살을 대체하는 용어들이 등장하며 일부는 자신의 삶을 정리하고, 되돌아보는 시간을 가진 뒤 죽음에 임하는 자들도 보이겠지요. 단순하게 다루고 싶지 않았습니다. 무거운 주제이니만큼 이를 깊이 생각한 흔적이 작품 곳곳에서 보인다면 기쁘겠습니다.

생명체라면 누구나 맞이하는 것이 죽음입니다. 자연의 섭리이며 자기 자신에게 온전히 주어진 권리이기도 합니다. 끝없이 살아가는 것은 그저 존재할 뿐, 살아가는 것이 아니다…. 아이러니하게도 영원은 모든 욕구를 부질없이 만듭니다. 욕망 없이 지속하는 삶은 의미를 찾지 못하고 부표처럼 쓸려 갑니다. 누군가는 이런 삶에 반발할 것입니다. 그렇다면 스스로 죽을 권리를 선택하며 '인간적으로' 떠나는 것이 조금씩 받아들여진 사회가 되리라 생각했습니다. 자기 파괴가 아닌 마침표로 읽힐 수 있는 시대. 존엄사란 삶을 포기하는 것이 아닌 죽음을 선택한 결과라고 볼 수 있기 때문입니다.

이러한 배경에서, 주인공 솜니움과 매매는 상대의 죽음을, 또 자신의 죽음을 알아가며 서로의 진심을 확인합니다.

길다면 긴, 짧다면 짧은 시간 동안 쓰인 이야기였습니다. 가벼울 수 없는 소재이기에 조심스러운 부분도 많았으나 그만큼 생각하고 되짚어보는 계기가 되어 즐거웠습니다. 언젠가 우리가 우리의 삶의 끝에 다다른다면 자신의 감정에 충실하기를, 또한 평온한 마무리이기를 바랍니다.

감사합니다.

솜니움

해피필스의 남용으로 긴 시간을 갖게 되었다.
정부에서 받은 혜택으로 자연스럽게 누군가를 돕고,
구조해주는 것을 당연히 여긴다.
매매 또한 자원하여 가족으로 들였다.

매매

어린 시절의 트라우마가 남아 있는, 솜니움으로부터 입양된 아이.
그를 아버지처럼 따르며 그의 사상을 존경한다.
삶과 죽음에 대한 솜니움의 말로부터 많은 깨달음을 얻는다.

 굿바이 프로젝트

자살인구 급증…

… 몇 년째 이어지는 자살인구의 증가는

폭발적 인구증가 해결에 대한 긍정적 현상으로 보이지만

일부 인권단체는 이에 대해…

2200년. 우리의 삶은 권태기에 도달했다.

인공수정 인구
절반 돌파

정부, 18□□□
만족도 100% 달성

국가일보

통합정부,
꿈의 미래 만들다⋯

효과 입증
20년의 성⋯

024 ◆ 025

사장 어디 있어, 나오라 그래.

아유! 선생님. 제가 인사를 드렸어야 하는 건데.

제가 드린 이용료, 잊은 건 아니겠죠?

아, 그럼요!

엇! 솜니움씨! 얼굴이···

그런데 저, 안전요원이라는 작자가 날 두 번이나 방해했어요.

미안하게 됐습니다. 이 친구가 베테랑인데, 요즘 상황을 잘 몰라서···

돈 싹 다 뺏어낼 거 아니면, 저 자식 교육, 잘 시켜요.

네! 죄송합니다.

오늘은 일찍 들어가셔요! 하하…

그럴 겁니다.

매매··· 수업중이겠군.

어서 내려와!
위험하다구!

그러다 다칠 거야!

선생님! 제 걱정은 마세요.

이렇게 죽는 건 제 꿈이었어요!

뭐… 그렇지만. 그 소문은 들었나?

약 먹으면, 머리가 돌아서 자살한다고.

괴담사이트에서 봤어!

음모론? 시시해라.

그런 헛소문을 믿는 건 아니지? 그건 그냥 치료약이잖아. 100년 넘게 무사고랬고…

자살은 하고 싶은 사람이 하는 거지!

그리고 약 많이 먹어도 하나도 안 이상해져.

네가 어떻게 알아?

오늘······ 최근에 일어난 일에 대해선.

너희들도 어떻게 행동해야 할지 알고 있을 거라 믿는다.

강제로 지시하진 않겠어. 하지만

소신껏 행동하렴. 자신의 뜻이 분명해야 한다.

인생의 끝은 스스로 결정하는 게 맞는 거니까 말야.

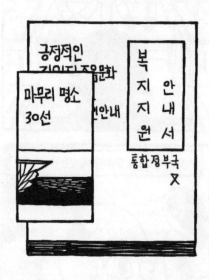

약에 절어서 산 듯한데. 내 기분 몰라?

···약에 절었다구.

042 ◆ 043

털

꾹

수명연장과 건강의 꿈!
정부에서 책임져드립니다.

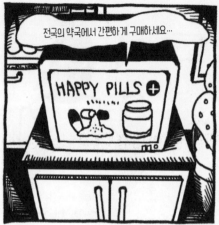

어! 오늘은 일찍 왔네요.

힘이 없어 보이네. 배고파?

!

얼굴이 왜 그래요?

아니, 그냥… 일하다가 좀.

맞은 것 같은데…

뉴스에서… 선생님도 그랬어요.

앗, 걱정 마요. 전 아직 그럴 생각 없어요.

누가 구해준 목숨인데, 전 살아있는 게 좋아요!

……

어제는 많이 놀랐죠?
내가 말한다는 게,
정신이 없어서.

오늘은 어제 그분… 하나만, 잘 좀 부탁합니다.

그냥 아무것도 안 하고 자리만 지키면 됩니다!

앞으로 어제 같은 일이 종종 있을 겁니다.

사진을 미리 줄 거구요… 그냥 방치하실 분과, 또 특별히 주문을 주는 경우가

저는 안전요원 아니었습니까?

하하, 그렇긴 한데. 그게. 자, 봐요.

우리 해변이 〈자살명소〉로 선정되었어요.

이곳의 좋은 경관에서 자살⋯ '완성'하고
싶어 하는 사람들이 정말 많답니다.

⋯저, 이건 살인⋯ 아닐까요?

사⋯알인이라니. 그런 무서운 말을.

'자의적 죽음'은
인생의 일부예요.
외면하고
나쁘게 대할 게
아니란 거죠…

그래서 우리 스스로가
좋은 죽음문화를
도입하기 위해

노력, 함께 노력해야 하는 것이구요!

…그는 그냥 둬도 괜찮아요.

아무튼, 당신은 안 됩니다.
이 날씨에 서핑이라니…

입장료도 냈는데!
말도 안 돼.

어쩔 수 없죠.

…고맙습니다.

아 맞다, 우산…

딩동.

미안한데,
내일 일찍 출근
부탁합니다:)
From. 영롱사장님

이거 봐!

안 돼요, 잠깐만.

내 목숨 내 맘대로 하겠다는데!

제발, 엄마. 다시 생각해줘요.

으으… 뭐야?

그만 괴롭혀! 난 순전히 너 때문에 죽는 거야!

엄마, 엄마!!

꽈

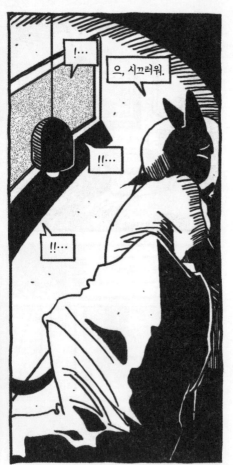

이 일은 보람차지만, 이따금 상실감에 시달릴 때도 있어요.

당신은 이 행위가 뭐라고 생각하시나요?

상실을 얻는다는 모순과… 동시에 만족을 가져다주는 이 행위가.

응? 못 보던 배인데···

솜니움! 이쪽으로···

오늘 사실, 엄청난 손님을 받았어요.

손님이라면···

네. 그 '손님'. 선박조종면허 있죠?

네···

손님을 태우고, 바다 한가운데로 나가주기만 하면 됩니다.

이제 우린 부자예요! 히히.

아- 손님! 많이 기다리셨죠.

바다가 참 예뻐요.

명소라 그런가.

...

이쯤이면 될까요?

네… 깊어 보이네요.

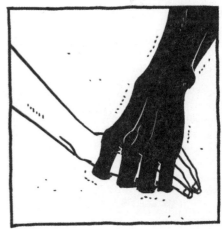

…그럼 혼자 할게요.

다만 한 번에 못할 테고, 팔이 너덜너덜할 때까지…

고통스럽게 가겠군요.

휙

잠깐, 잠깐⋯ 그러지 마요.

⋯⋯

그럼 도와줄 거죠?

사실 혼자 못해요. 그래서 부탁하고 있잖아⋯

나는… 이렇게 죽었으면 했어요…

매일매일 어떻게 하면… 나의 마지막을

완벽하게 장식할지 생각하고 계획했죠.

그 일을 상상하는 것은
행복한 환상인 동시에 나의 현실이었어요.

하지만 매번 실패했던 건 마음과 달리,
내 몸의 의지가 덜해서였다고 생각해요...

나는 내 의지를 도울 사람이 필요해 여기 왔어요.

나를… 도와준다면

너무나 기쁠 거예요.

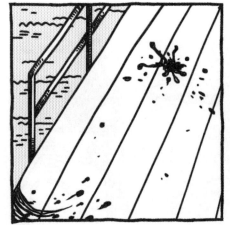

자세한 이야기는
앉아서 합시다.

이건 각자 수고비.

그 고객께서 각자 남겨줬더군요.

네, 고맙습니다!

고객...

! ···너무 많은데요.

뭐… 미련이 없던 거겠죠.

그건 그렇고!
사무실 증축을 하려는데.

와! 진짜요?

네, 탕비실이 좋았으니까…

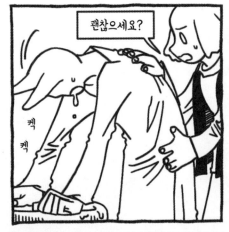

해피필스. 뉴스를 통해 모두들 알고 계실 거예요.

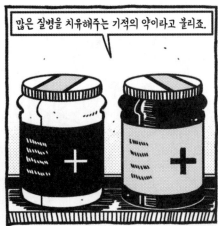

많은 질병을 치유해주는 기적의 약이라고 불리죠.

이전까지는 비싼 값을 지불해야만 구매할 수 있었지만

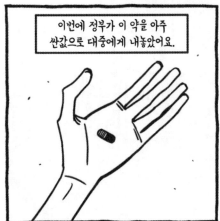

이번에 정부가 이 약을 아주 싼값으로 대중에게 내놓았어요.

이제 여러분 모두, 침대에서 일어나 두 발로 걸을 수 있게 됩니다.

096 ◆ 097

…제 도움은 더 이상 필요하지 않을 거예요.

그, 그럼…

여러분의 질병은 물리적 타살이 아니니,
이걸로 충분히 치료될 수 있어요.

써…

물론 시간을 거쳐야겠지만…

숨을 깊게 들이쉬고… 내쉽니다…

모두들 수고하셨어요.
오늘 운동은 여기까지입니다.

약효가 있는 것 같아요. 네! 저도 좋아졌어요.

솜니움! 오즘 어때요?

선생님.

좋아요. 좋아졌어요⋯

그런데⋯
약을 더 주시면
안 될까요?
빨리 퇴원하고
싶어서요⋯

그러고 싶지만⋯
설명했듯
과도한 복용은
부작용이
따를 거예요.

생명에는
지장이 없지만,
피부에 반점이
나타나거나

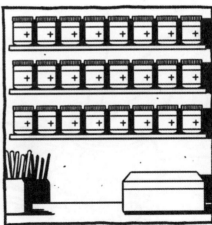

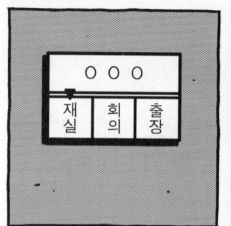

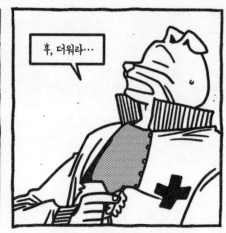

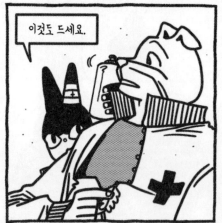

그 아이도 가족이 있는 게 더 행복하겠죠.

이렇게 어린데…

출혈이…

제가 도와줘야겠어요.

그렇게 쉽게?
자네 의견은…

가끔 너무 매달린단 말야… 도와준다는 것에.

그것도 강박이야.
아니면 직업병?

제가 그러고 싶은걸요.

오랜 투병 끝에 얻은 새로운 삶,

그것은 내게 행복이었다.

그리고 내가 얻은 이 행복을
타인과 나누리라 결심했다.

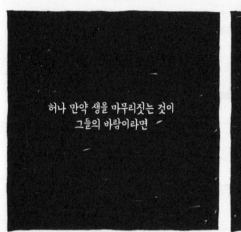

허나 만약 생을 마무리짓는 것이
그들의 바람이라면

나는 기꺼이 그들을 도울 것이다.

그게 그들의 행복이라면

도와주세요.

그럴 수 있죠?

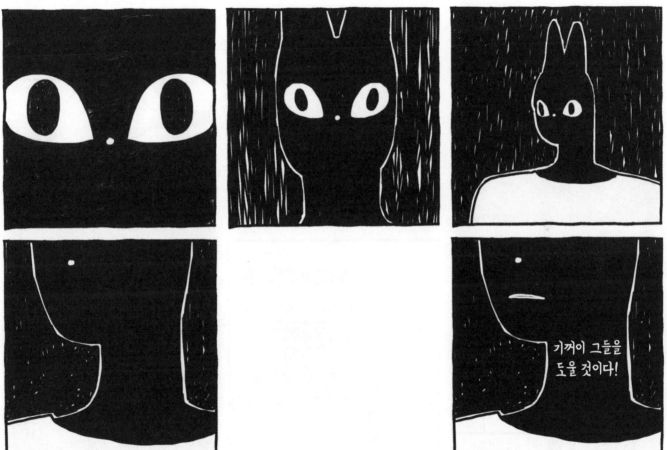

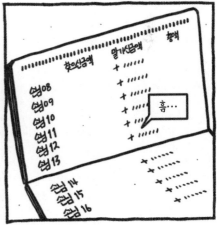

죽고 싶은 건 맞는데, 방법을 결정하지 못했어요.

여러 가지 사설업체가 있다지만...

커피.

고마워.

좀 무섭기도 해요. 뉴스 보셨어요?

아뇨···

죽이진 않고 장기만 뽑아가는 범죄조직도 있더군요!

저희는··· 확실합니다. 해변도 국가에서 지원받고···

영롱은행

네, 그런데요, 시신은 어쩌죠? 저는 가족도 없고···
사실 요즘 너무 힘들어요···

···

자살한다고 주변에 말도 못했어요. 친구도 없으니까···

어떻게 죽어야
할지에 대해
질문하셨지요?

이런 제안을 드리기도 처음이지만···
파도에 몸을 던지는 건 어떨까요?

가장 선호하시는, 또 확실한 방법입니다.

···

시신도 회수해드리고, 또 절벽이 있습니다만…

와… 떠내려가겠네.

휴! 겨우 끊었군.

너무 사무적으로
대한 걸까.
아냐…

나는 고민상담사가
아니라구.

죽고 싶어 하는 사람을 괜히 따듯하게 위로해서,
그 의지를 꺾으면 곤란하지. 그럴 입장도 아냐.

어디까지나 힘든 생의 마무리를 돕는 게 나니까.

솜

밥 먹어요.

미안, 생각보다 길어져서⋯

요즘 일이 잘되나봐요.

응! 전보다
훨씬⋯

솜니움이 하는 일은 정말
대단하다고 생각해⋯

매일매일 모두를 도와주잖아요! 나에게도⋯

안녕히 가세요.

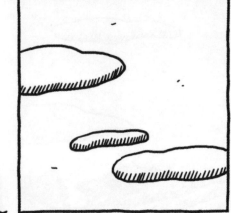

저기요!

네.

좀 도와주실래요?
저기 선착장에…

아… 물론이죠. 접수를 먼저 관리소에서 해야 하는데요,

…

요즘 거리에 널린 게 시체인데.

그렇군요…

하도 많아서 수사는커녕… 치워주기만 해도 감사하다구요.

휴,
무거워…

이거… 유족이 있던가?

서류는 사장님 담당이지. 사무실로 가야겠군.

솜니움.

솜!

어! 매매.

어쩐 일이야? 학교는?

끝났어요.

숙제 때문에 들렀는데, 지나가길래.

아하. 저녁은 뭐 먹을래? 오늘 당번은 나니까.

그건 뭐예요?

아... 이거.

손님이었는데

그러니까, 뭐냐면

곤란하면 말 안 해도 괜찮아요.

138 ◆ 139

미안. 그럼 손 좀 씻고 올게.

이제 바람이 차구나.

아, 숙제는 뭐였니? 사진을 찍던데…

조… 존경하는 사람의 일자리 풍경 찍어 오기요…

매매!
이제 내려오렴.

곧 중학생이 되겠구나.
여기, 선물이야.

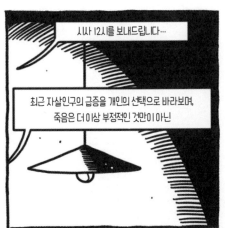

시사 12시를 보내드립니다...

최근 자살인구의 급증을 개인의 선택으로 바라보며,
죽음은 더 이상 부정적인 것만이 아닌

하나의 인생에 있어 귀중한 끝마침으로
대중들에게 큰 의미를 갖게 되었습니다.

그러나 일부 시민의 자살 행위가
또 다른 사고와 피해를 가져와 논란이 되고 있습니다.

또한 시신의 유기와 그 처리가 늦어져
많은 시민은 불편을 호소하고 있습니다.

시사 12시

이에 정부는 소정의 지원으로 업체를 통하여
일정한 절차를 밟을 것을 권장했으나,

아, 우리가 저 일을 최근에 하고 있단다.

수단적 제한 및 공급부족으로
널리 보급되지는 못하고 있습니다.

오늘 체포된 약사 *모씨는 약국에 온 환자에게 무차별
상해를 입힌 뒤 그 자리에서 자살하는 사건을 일으켰습니다.

30대 약사
무차별 칼부림

당신은 사는 게 즐거운가보죠…

…

그러나 자살소동은 실패로 돌아갔으며,

그는 '삶의 의지가 충만한' 시민들에게
질투가 났다고 범행동기를 밝혀…

세상에, 저 약사…
내가 갔던 약국에 있었어.

매매, 너도 수상한 사람이 보이면 곧바로 집에 오렴.

저런 것에 비하면 해변의 손님들은 양반이군…

그러고 보니… 전에 학교에서 어떤 아이가 죽었다고 하지 않았니?

아, 그 애요? 죽지 않았어요. 엄청 다쳤다는데.

별일 없는 거지?

너도 조심해야 해.

끝으로 언제나 저희 프로를 시청해주신 여러분께 감사의 인사 올립니다.

사사123

그래, 걱정 안 해도 되는 거지?

그럼요.

말려들지 않도록…

네.

마지막으로 제 모습을 기억해주세요.

타앙.

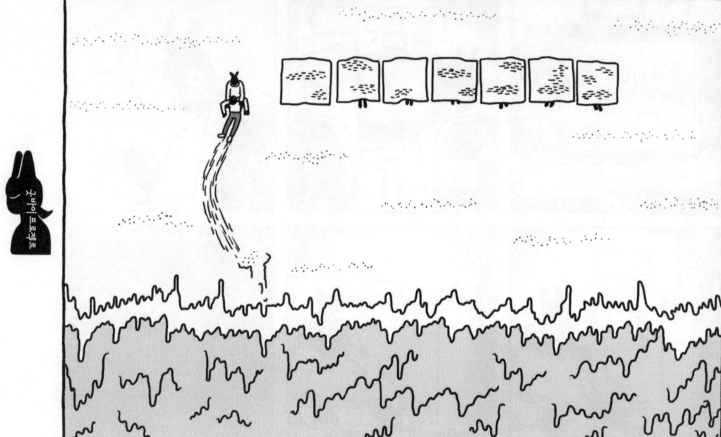

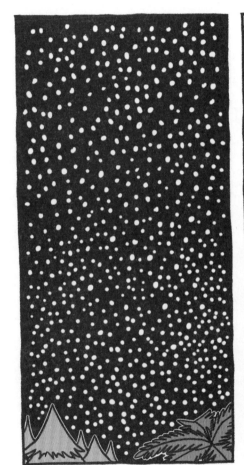
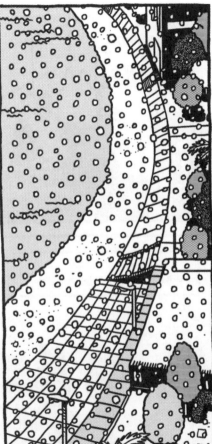

개인은 이쪽, 단체는 저쪽으로 줄을 나눌게요!

상담실

신분증 제출 후 서류 주시고···
유서 준비 못한 분은 카운터에 용지가 있어요.

저 왔어요!
늦어서 미안합니다.

사장님, 빨리요.

연말에 이렇게 밀리다니···

어떻게든 크리스마스 이전에 생을 끝내고 싶다는군요···

줄 서서
따라와주세요.

알만하군.

여러분! 여기까지 오시느라
정말 수고 많으셨습니다.

우리 영롱해변은 정부의 공식지원을 받고 있어…

공식적인 자살행위가
이루어지고
절차에 따라 시신을 회수,
사후 처리까지 완전합니다.

여러분의 안락하고, 기쁜 마무리를 최선을 다해 돕겠습니다.

마지막으로 남길 말씀이나 유서가 있다면
저에게 전해주세요.

네, 유족에게 전달하겠습니다.

그럼 준비되셨나요?

158 ♦ 159

양쪽 서로 손을 잡으시구요…

여러분의 이전까지의 삶을 이해하기긴 어렵겠지요.

하지만 이 순간만은 성공적으로 해낼 겁니다.

제가 도와드릴 거니까요.

자, 이제 마음을 가라앉혀요.

우리가 거쳐왔던 많은 것들과 작별인사를 하고

그런 뒤, 이 삶의 끝에서 아름다운 마무리를 하는 거예요.

안녕히 가세요, 여러분.

사람이 죽어가는 모습을 보는 것이 유쾌한 일은 아니었다.

그러나 그들의 숨이 확실히 끊어지는 것을
확인해야 한다. 그것이 그의 일이니까.

죽지 않는다면 같은 일을 반복하는 성가신 짓을 해야 한다.

꺼어억…

헉, 헉

그런 일이 없기를 바라며,
솜니옹은 요란한 물소리가 찾아들기를 기다렸다.

…

환불이 안 된다구요?!

으으, 얼겠군.

사전에 안내해드린 사항이에요… 어쩔 수 없어요.

그럼 저는… 어떻게 해야 해요… 그건 전 재산이었는데…

이봐요, 괜찮아요?

방송 듣고 갈 거죠?

네, 시간이 애매하네요.

저도 듣고 갈게요.

그 손님은 어떻게 됐어요? 잘 돌려보냈죠?

네, 바다에 뛰어들었어요.

응? 돌아간다고… 환불이니 뭐니 했다면서요.

마음을
다시 먹었나보지요.

통합정부국입니다.
공지방송을 시작합니다.

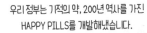

우리 정부는 기적의 약, 200년 역사를 가진
HAPPY PILLS를 개발해냈습니다.

긴급 보도

생명의 단기 연장과 만능질병치료로,
많은 분께 죽음에 대한 걱정을
덜어드리고자 하는 의도였지요.

그러나 최근, 새로이 연장된
삶에 대해 권태를 느끼며

그로 인해 스스로 죽음을
택하는 일이 크게 늘었습니다.

이에 대한 책임을 깊게 느끼고 있으며
여러분의 삶을 달리 만든 만큼 죽음 또한
저희 통합정부가 섬세히 책임지려 합니다.

그래서 우리는 굿바이 프로젝트를 도입했습니다.

굿바이 프로젝트

...

알 수 없는 미래, 갑작스럽게 찾아오는 불행한 죽음이 아닌
스스로 선택하는 '삶의 마무리'로서

안정적이고 뜻깊은 죽음을
선택하길 바라며, 또 그것을
도와드리려 합니다.

여러분이 꿈꾸던 죽음을
완벽히 실패 없이 실현해드리는
커다란 기획안입니다.

저건 우리가 하는 일 아닌가요?

잘됐네요! 안 그래도 여긴 사람도 많고, 또 이것저것 요구하는 게 복잡해서…

170 ◆ 171

국가에서 모범을 보인 뒤… 비슷한 사설업체를 더 만들어보자는 거겠죠?

정부는 지원을 아끼지 않을 것이고…

하긴, 요즘은 업체 통하지 않고 혼자 죽어버리면 시신 처리도 어렵고…

자살을 돕는 단체의 장려라…

이 프로젝트를 통해 여러분이 부디 좀 더 신중하며,
귀중한 마지막을 맞이할 수 있기를 바랍니다.

더 이상 귀중한 국민들의 몸이 썩어 방치되는
문제를 보고만 있을 수 없었습니다…

또한 관련 인명피해와
사고 역시 개선되어야 할
문제입니다.

개인의 죽음은 개인의 죽음으로 끝나야 합니다.
비극을 불러와선 안 될 것입니다.

언제 받을 수 있는데요?

제가 먼저…

…!

저는 세 권 주세요!

얼마입니까?

여러분, 부디 질서를 지켜주세요!

1인당 한 권이에요… 앗, 밀지 마세요!

나도 궁금한데.

내일 다시 와보자.

〈굿바이 프로젝트〉생의 귀중한 마무리, 굿바이 프로젝트와 함께 하세요.

신청서를 작성해 각 구청에 보내주시면, 심사를 통해 〈선발자〉 선별을 합니다…

〈굿바이 프로젝트〉
* * *

회당 일곱 명의 선발자는 지정된 방에서 77일간 머물며

삶을 정리하고 그 끝에 이르게 된다.

굿바이 프로젝트
X 룡ㅇ잭ㅇ

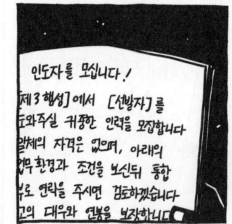

오늘은 한산하군!
휴가 뒤라서 각오하고 왔는데.

우리 해변은 국가 소유가 되었구요.

새로운 일자리로 보내준다는데, 기다려야 한대요.

...

...

솜니움씨... 항상 사람들을 돕는 것에 최선을 다하셨죠.

그게 정말 멋졌고, 또 배우고 싶다고 생각했어요.

요 몇 년 사이는… 세상이 변한 거겠죠.

그래도… 즐거웠어요.

괴상한 일들뿐이었어.

잘 있어.

나의 해변.

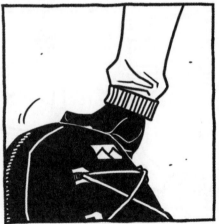

새로 일자리에 배치될 때까지는 꼼짝 않고 쉬어야겠군.

하긴 여태 휴가도 없었으니까.

괜찮겠지···

으···웨엑

우에엑.

우욱···!

매매!

괜찮니···?

으···

여기 약.

또 꿈꿨구나…

이제 좀 어떠니?

응, 괜찮아요…

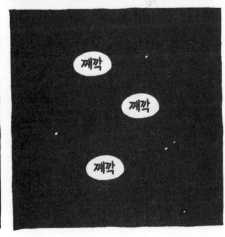

뒤늦게 알았다. 그때라고 해도, 몇십 년 전이었다.

매일매일 같은 얼굴로 같은 시간을 반복한 내가
그 오랜 시간을 깊이 느끼는 것은 어려웠다.

하지만 이따금 이렇게, 누군가 죽었다는 소식을
들었을 때면 그것들은 무겁게 다가왔다.

어떤 사람들이 사라질 때
나는 가장 뚜렷한 시간을 느꼈다.

축하해, 합격이란다!

영롱국영학원
-합격안내-

잘됐다, 정말…

!……

축하한다!

툭

고맙습니다…
솜니웅
덕분이에요.

솜니움처럼, 다른 사람들을 돕고 싶어서 지원했어요.

입학 전까지는 시간이 있으니까, 솜도 일은 좀 쉬세요.

제가 거들게요.

어른이네, 매매.

분명 요만했는데 말야…

맨날 그 소리야.

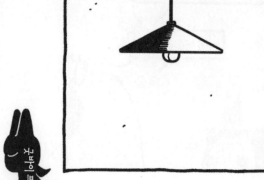

솔직히 너무 힘든 일 같아요.
장소도 무슨… 개발 포기한 행성이라는데.

……

202 ◆ 203

설마 거기 지원할 생각은 아니죠?

뭐, 난 비슷한 경험도 있으니까…

너무 그러진 마.
모두에게 필요한,
누구나 거치는 순간을
경험하는 사람들이야.

마지막, 완성, 마무리… 혹은 기쁨.

솜이 무슨 일을 하든 괜찮지만…

적어도 그동안 입은 은혜는 갚게 해주세요.

넌 충분히 잘해주고 있단다.

고마워.

이건 평생의 딱 한 번인 기회다.

자신의 끝을 스스로 선택하고 꾸밀 수 있는 기쁨…

그건 가장 평등한, 삶의 마지막 행복일 것이다.

자신이 입은 은혜를 나누고자, 타인을 도와온 손님에게

그것은 오랫동안 그가 원한 행위의 최종형태였다.

행복을, 생의 마지막을

상대의 손에 쥐어주는 것이다.

따리리링.

실례합니다.

끼익

늦은 시간에 미안합니다.

아뇨!…

자, 편히 앉으세요.

꽤 오랜 기간 약을 드셨군요.
기대 수명도 좋고…
앞으로가 더 기대되네요.

당신이 할 수 있는 일이
많다는 거겠죠.

정말
잘 오셨어요.

환영합니다.

프로젝트가 이루어질 제3행성의 본부입니다.

본래 관광지로 개발 예정이었지만…
아쉽게도 취소되었죠.

하지만 이렇게 국민을 위한 장소로 거듭났죠.

저, 궁금한 게
있는데요…

1회 참가자 명단

네, 뭔가요?

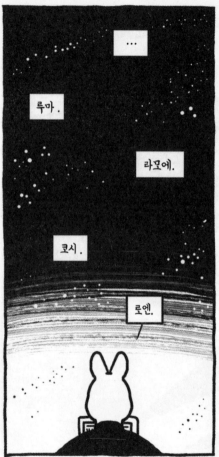

업무환경과 조건은 알고 오셨지요?

아! 네.

프로젝트가 완전히 종료되기 전까지는…

이곳으로 돌아올 수 없는 거지요?

걱정 마세요. 일에 대한 보상은, 확실하게.

돈… 때문에 지원한 것은 아니에요.

그래요. 그랬었죠.

214
215

그렇다는 건, 이 일은 당신만이 할 수 있다는 뜻이겠죠.

함께하게 되어 정말 기쁩니다. 잘 부탁해요.

그럼, 출발일에 뵙죠. 일시는…

네, 출발은 열흘 후입니다.

열흘이요…?

손님?...

하아아...

둑

또아?

...

...

집에도 늦고,
성가시네 정말.

당장 열흘 후라… 갑작스러운 건 사실이군. 하지만…

나와 다른이 모두의 생애를 통째로 바꿀 수 있는 기회다.

새 인생을 시작할 수 있는 거야.

음! 매매.

매매! 많이 늦었구나.

오늘 일은 어땠니?

말도 마세요, 가게 손님이
또 자살해서 경찰이…

그 프로젝트인지 뭔지
빨리 시작하면 좋겠어요.

그럼 좀 줄어들 것 같은데…

그럼 잘됐구나. 프로젝트, 시작하게 됐거든.

정말?

그리고 내가, 그 굿바이 프로젝트의 인도자로 나서게 되었어!

…

…

……

어, 음…

농담이죠?

아…니.

저, 매매?

솔직히 조금 서운하네요, 하하.

…왜?
내가 너에게
아직
해주지 못한 게
있는 거니?

이제 곧 기숙생활을 할 거고 생활비라면 내가…

그런 뜻이 아니에요…

나는 아직 솜니움에게 아무런 보답도 못했는데…

그렇게 쉽게 말하니까…

우리는 가족 아니었어요?

물론이지, 가족이야!

…죄송해요. 내가 너무 참견했죠.

뭘 울고 있는 거지 나는…

뚝

뚝

그래, 솜니움은 내 아버지가 아니야.

어쩌면 나는 그냥,
그가 보람을 느낄 수단의
하나였을지도 몰라.

…

음… 저렇게
실망할 줄 몰랐어…

아직 어려서 그렇겠지… 일단은 달래보자.

매매.

2187년 1월···

인도자를 태운 우주선이 출발했다.

많은 이의 꿈이 올려진 날이다.

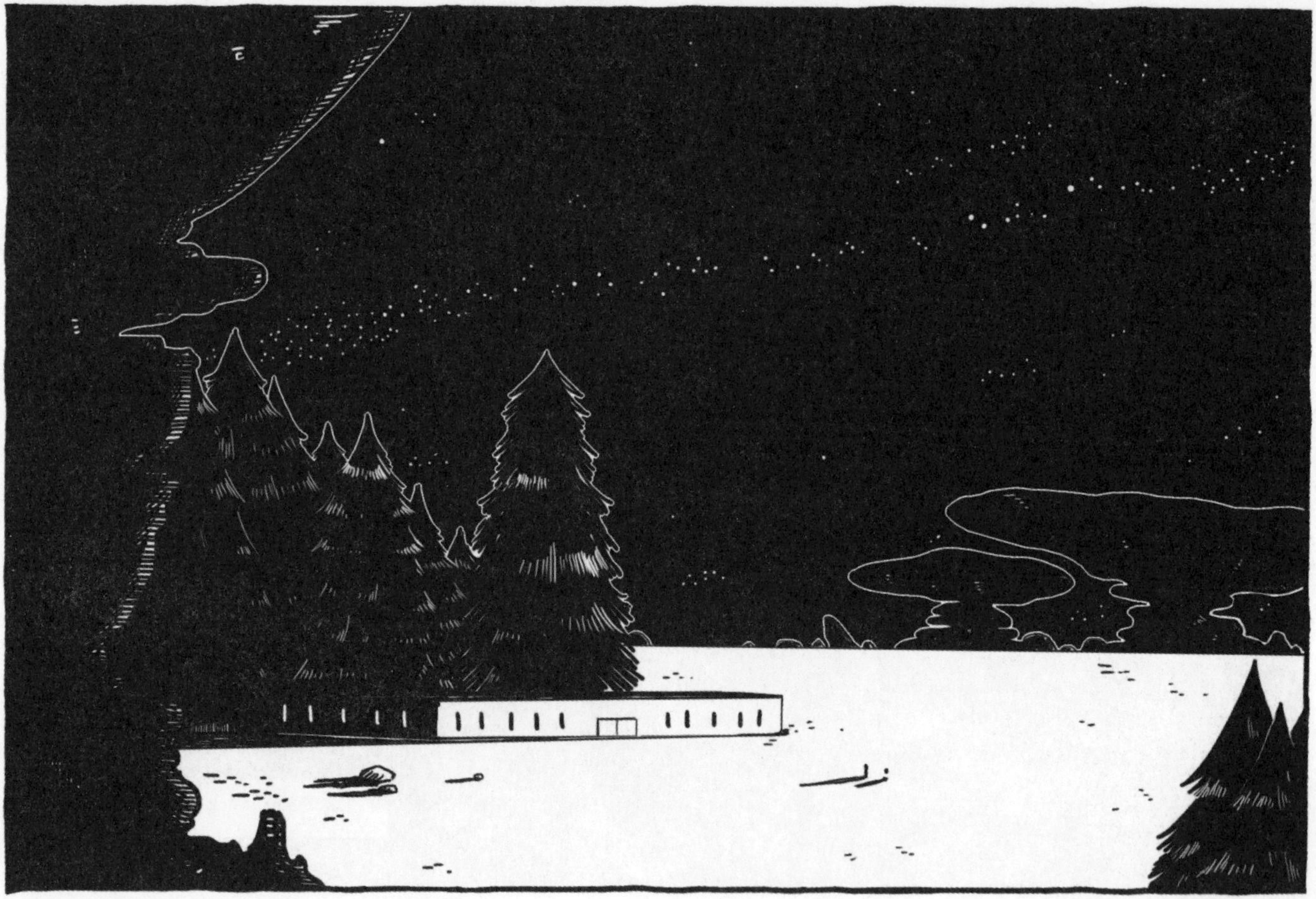

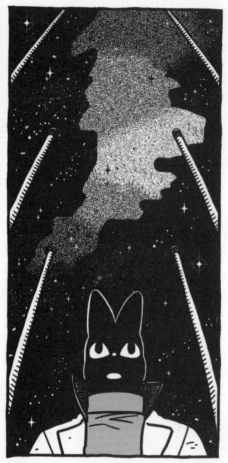

이곳과 본부는 거리가 있어 걸어가야 합니다.

그렇군.

로봇은 오랜만이네. 엄청 크다...

자네를 뭐라고 부르면 될까?

데이브입니다.

좋아, 데이브. 잘 부탁해.

...날씨가 좋죠? 제가 당신을 위해 온도조절을 했답니다.

아이 같아.

용케도 이런 곳에 나무를 심었군.

저건 호수인가?

원래 여긴 관광지로 개발되던 곳이니까요.

저기, 흰 건물이 본부입니다.

그 외엔 아까의 호수와 절벽이 자살명소로 활용될 예정이죠…

236 ◆ 237

저쪽이 솜너울의 사무실 겸 생활공간.

상담실입니다.

여긴 선발자의 식당입니다.

아, 솜니움씨는 어떤 음식을 좋아하나요?

음! 글쎄… 샌드위치?

좋아요, 그럼 만드는 방법을 알려주세요.

너에게?

부가적인 사항들은 배워가는 타입입니다.

교육이 필요한 거로군.

그럼, 쉬십시오. 점심시간에 식당에서 뵙겠습니다.

이따 봐.

휴, 제법 피곤하군.

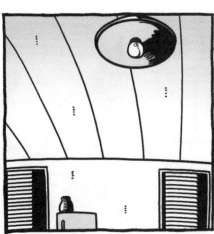

짐 정리라도
할까…

데이브?

아, 오셨군요.
준비는 했답니다.

기본적인 재료인데, 충분할까요?

괜찮아! 이거면 될 거야.

이곳에 와서 처음 하는 일이 로봇에게 샌드위치 만드는 방법을 알려주는 거라니…

이야기는 들었지만, 시설이 훌륭한걸…

물론이죠, 우리는 선발자를 위한 최고의 환경을 준비했습니다.

뛰어내릴 호수와 절벽, 각종 약물과 독, 도구…

또 그 외에 원하는 것이 있다면 뭐든 준비하죠.

그들이 원하는
그 어떤 것이든,
해결해줄 수 있어요.

…만약…

누군가로부터
살해당하기를
바란다면
어떻게 하지?

그런 것을 위해서도 당신이 존재하는 겁니다.

망설여지나요?

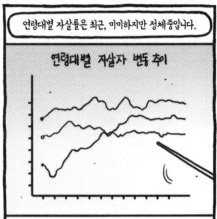

연령대별 자살률은 최근, 미미하지만 정체중임니다.

연령대별 자살자 변동 추이

아무래도 굿바이 프로젝트와 같은 '서비스'를 기다리는 분위기로 보임니다.

음, 좋아요. 아직 더 지켜봐야 하지만…

우리 '인도자'께 너무 부담을 주는 건 아닐지 걱정되는군요.

그분, 이름이…

뭐였더라…

아무튼, 이따 그분과 확인차 연락을 취해주세요.

알겠습니다.

통 합 정 부 국

다음은 취소된 관광지의 타 지역 유치를 위한 안건으로…

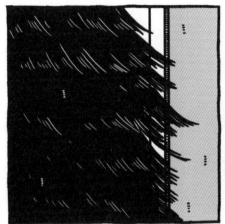

…솜니움의 마음가짐이
궁금했을 뿐입니다.
신경 쓰게 했다면 미안해요…

!
아냐…

뭐, 틀린 말도 아니고 말야…

………

뚜벅

뚜벅

뚜벅

뚜벅

조용해…

뚜벅

뚜벅

아.

뚜벅

바깥에 말야! 건물이 좀 더 있던데. 안내해줄래?

네!

대략적인 지형은 파악해두는 게 좋아요.

꽤 넓기도 하고… 길을 잃는다면 제가 찾겠지만.

...

솜니움은 앞으로 선발자의 인도자로서, 그들의 삶의 정리와 죽음을 이끌어갈 거예요…

그들의 결과는 정해져 있지만, 가장 행복한 방법으로 가도록 해야겠죠.

소각장

본부

누군가의 행복을 위하는 일이라니, 멋지다고 생각합니다.

그런 것들을, 당신으로부터 배우고싶어요.

잘 부탁해.

여긴 소각장입니다.

사후에는 유품정리나 시신의 처리도 신경 써야 하죠.

선발자가 부탁한 그대로요.

그리고 그의 죽음 뒤,
양식에 따른 보고서를 작성합니다.

그 보고서는 성과를 알려주는 동시에,
다른 이들에게 모범안이자 지침서가 되는데…

요령껏
작성하세요.

…

요령껏…

네.

적당히요.

더 궁금한 게 있나요?

음, 아니. 고마워.

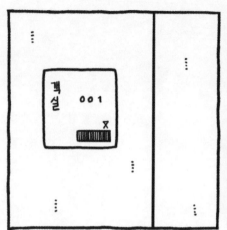

7일 후, 아침

달그락

달각…

데이브,
아직 식당에 있었어?

식사를 준비했어요.

전부 혼자 한 거야?
도와달라고 하지…

…포장된 것을
뜯어 담은 것뿐이라.

…

그래도 솜니움의 샌드위치는
직접 만들었습니다.

…

대단한걸.

…이건… 꼭… 톱밥 같군.

그건 솜니움의
식사가 아닙니다.

아, 선발자의
몫이구나.

다른 기호식품도 있지만, 포만감과 영양은
이것에 압축되어 있어요.

또한 그들이 이곳에서 마음을 다잡지 못해도,
70일 이상 섭취한 이 식사성분으로 하여금

안락한 사망이
가능합니다.

이 프로젝트의 완전함이자
큰 장점이라 할 수 있죠.

······

대부분의 시스템은 자동화되었으니,
솜나움은 스스로의 업무에 충실해주세요.

아, 고마워.

그럼···
손님을 맞이할
준비가 됐나요?

그래.

우우웅···

이제 된 것 같아.

···무척 기대하고 있군요.
그들의 얼굴이 밝지는 않을 겁니다.

그래,
침착하게 하자.

꿀꺽

모두가 이곳에서,
생의 가장 중요한 시간을
보내는 거니까.

선발자 여러분,
반갑습니다.

저는 여러분의 인도자 솜니움…
이쪽은 보조업무를 맡는
데이브입니다.

262 ◆ 263

여러분의 소중한 순간에
함께하게 되어 영광입니다.

잘 부탁드리겠습니다.

표정 좀 굳혀요.

…내가 그렇게 웃었어?

좀 신나 보이긴 했습니다.

저, 들어가서 자도 되죠?

저도. 앨범 보려고요.

가도 되나?

아, 피곤해라…

들어가야지…

네, 그럼요!

268 ◆ 269

필요한 게 있다면…

……

오늘은 일찍 쉬겠군.

일부러 여름옷을 가져왔다.

매일 흉터를 가리려 붙이던
파스나 테이프도 가져오지 않았다.

노엘씨, 다쳤어요?

근육통 때문에…

죽으러 온 이곳에서…

어느때보다도 평온하다.

276 ◆ 277

밤이 깊어갔다…

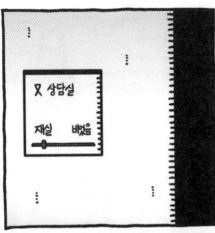

그럼, 말씀해주신 대로 내일 아침 진행하죠.

장례절차는 맡겨주셨으니, 잘 처리될 것이고…

여기, 이것 받으세요.

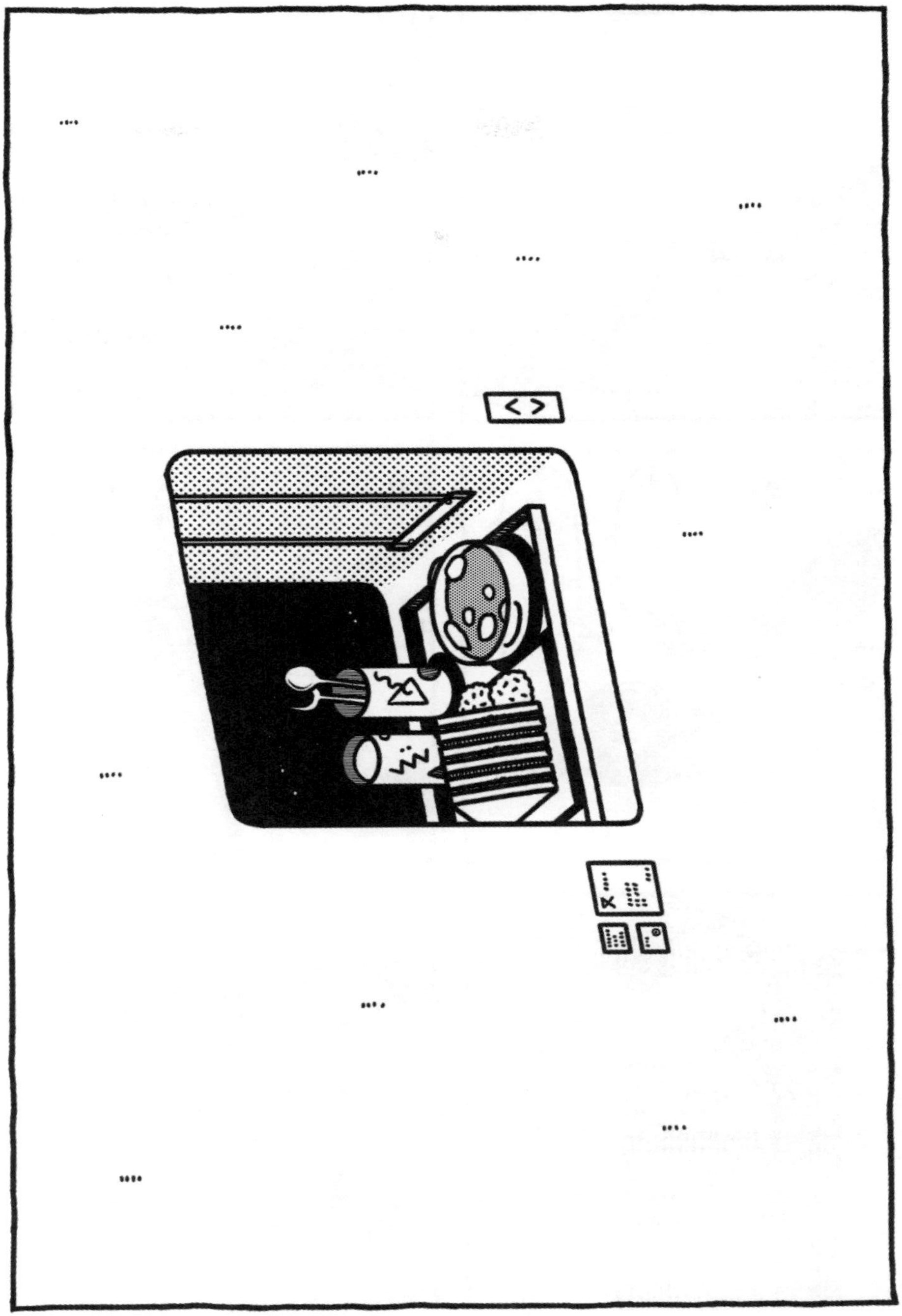

여긴 줄곧 흐리기만 하군.

있던 기운도 빠지겠어…

샌드위치 이외의 것도 가르쳐야겠군.

삑

어제는 시작이 안 좋았지.

뭐, 이해할 수 있어.

놀러 온 게 아니거든…

식당...

데이브를 도울 겸, 일찍 들를까.

쩌억
쩌억

?

쩌어억...

......

자살용 나이프. 방마다 배치된 기본 도구 중 하나다.

어제의 그 남자로군. 성질도 급하지…

욕조에서 죽겠다고 했었지.
무서우니까, 곁에서 도와달라고 부탁받았어.

바닐라향 입욕제가 필요하댔어…

지이익...

지이익...

지이익...

시체는 몇 번이나 봤는데, 왜.

바보 같긴.

좋은 아침입니다.

아! 좋은 아침이에요.

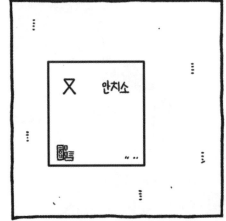

첫 번째 케이스가
실패라니, 좀 아쉬운걸.

여러분, 좋은 아침입니다.

이 식사는 하루 두 번씩, 꼭 섭취해야 합니다.

포만감은 물론, 영양면에서도 완전하죠.

부스럭

여러분의 안락한 마무리를 위해 큰 도움이 될 겁니다.

더 자세한 것은 안내책자에…

이봐, 이야기 들었어.

자네 왔군.

동네에 소문났던걸, 효자 났다면서 말야.

말도 안 되는 일이지.

…이것이 지금의 내게 가장 최선이라고 생각해준 거야. 나의 자식들은.

슬프지만, 여기서 작별이라네.

그렇게 해서 저는 이곳에 오게 되었죠.

자살동기에
이 이야기를
추가해야겠군.

아…
그러셨군요.

그래서, 자살 방법에 대해 생각해두신 게 있나요?
여기 추천자살법 책자가 있어요.

아, 네…

권총, 투신, 약물이 가장 인기인데요.

고통을 느끼지 않도록 사전에…

아이들은 내게 있어
가장 뜻깊은
기억이었어요.

마지막으로 나도, 그 애들에게 가장 뜻깊은 기억으로 남고 싶군요…

그럼, 잘 부탁합니다.

걱정 마세요. 원하는 대로 진행될 겁니다.

그럼 쉬십시오.

A-08

…

09

304 ◆ 305

늦었는데…
뭐 하고 계세요?

아, 어제
선발자의
유언이
있었거든.

선물과 꽃은 좋은 궁합이잖니?

며칠 후, 지구

으, 무슨 냄새가…

뭘 넣은 거야.

우 점

계세요?
코시씨로부터
소포가
도착했습니다.

ㅇㅜㅍㅖ

아버지로부터?

그 애들… 나의 웃는 얼굴을 보며 안심해주겠죠?

316 ◆ 317

끝까지 가족을 생각하다니, 감동적이었어.

수고하셨어요.

다들 저렇게 머리통을 자르고 싶어 하나요?

솜니움이 힘들 텐데…

아냐, 바보…

뭐, 두 번째는 무사히 끝나 다행이야.

다음 상담은 누구지?

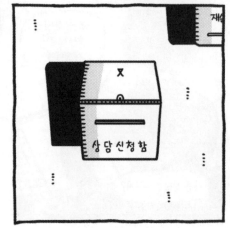

걱정이네. 며칠째 상담신청이 없어.

아…!

안녕하세요.

상담하러 오셨나요?

아뇨… 그냥 산책을.

그럼…

이렇게 가다간…

우리 취지에 어긋난다구.

어쩔 수 없죠…
강요할 문제는 아니니까요.

음.

머리라도 식혀야겠어.
핫초코 고마워.

그러시죠.

하…

아! 솜니움.
인도자님
오셨군요.

모두 여기 보세요!
인도자께서 오셨네.

나, 난...

자, 이리 와서 같이 마셔요.

어떻게 된 거예요?

음식요?
창고랑 식당에
있는 걸 가져왔죠.

그게 아니라...

우리는 파티하고 있었어요.

여기서 가장 편안한 건

우울한 척하지 않아도 된다는 거예요.

난 우울한 게 아니라

그냥 죽고 싶을 뿐인데

평범하게 대화하고, 식사하고 있자면

자살시도를 했다며?

밥도 잘 먹고, 멀쩡하잖아?

괜히 관심받으려는 거라면, 그만둬.

네. 충고 감사해요.

죽고 싶은 사람은 언제나 슬프고 우울하게 지내야 하는 걸까?

밥도 안 먹고, 매일 눈물 흘리다 죽어야 하는 걸까?

적어도 죽기 직전에는 누구보다도 즐겁고 싶어요.

그래요!

···맞아요···

당신 말이 옳아요.

즐겁게 죽을 거예요.

죽으면 더는 고민하지 않아도 돼요.

살 빼려고 굶지 않아도 돼요.

죽으면 빚을 갚기 위해 밤새도록 일하지 않아도 돼요.

죽으면 아무것도 참을 필요 없어요.

그렇게 마음을 털어내며, 몇몇은 울기도 했다.

아무런 걱정이 없어요.

빚도, 애인도 이제 괜찮아요.

......

또, 그 눈물들은 솜니울을 안정시켰다.

그들이 죽을 것이라는 확신을 주었기 때문에⋯⋯

자, 너무 무리는 말아요.

숙소로 갑시다.

그럴 수가 있나요. 남은 하루하루가 귀중한데⋯

모두의 삶의
절정과 함께하고 있어.

솜나움은
모처럼
활짝 웃었다.

인도자님! 저, 용기가 생겼어요.
지금 죽고 싶어요.

저도.

나도 같이 갈래요.

아…!

좋아요!
이쪽으로
오시죠…

그들은 들뜬 기분으로
제 3행성의 인공호수에 도착했다.

그곳에서 함께, 서로의 손을 잡고
미련 없이 작별을 고하는 그들을 보자니···

솜니움은 다시
향수에 빠지게 되었다.

마치 집에 돌아온 것처럼…

많이들 갔군요…

다…당신도 가는 건 아니죠?
같이 있어준다고 했으니까…

네, 그럼요. 먼저 가지 않아요.

추운가요?

아뇨,
아뇨.
그냥…

이제
나도 곧,
죽을 거라고
생각하니까…

다 결심했다고 생각했는데…

죽는 건 무섭지 않아요.

살아있는 게 괴로움일 뿐이지.

우리는 그 괴로움을 함께 끝낼 수 있어요.

네, 네… 울면 안 되는데. 자꾸 눈물이 나요.

어머,
울어도 괜찮답니다.

무엇을 해도 상관없는
순간이니까요.

모아, 생토씨는 매장을 부탁했지.

라라라.

음음...

나-나나.

나나...

팍 .

팍 .

계속

굿바이 프로젝트 ①

밤비 글·그림

초판 1쇄 인쇄일 2018년 7월 3일
초판 1쇄 발행일 2018년 7월 13일

발행인 | 한상준
기획 | 윤정기
편집 | 김민정 · 윤정기 · 이지원
디자인 | 김경희
마케팅 | 강점원
관리 | 김혜진
종이 | 화인페이퍼
제작 | 제이오

발행처 | 비아북(ViaBook Publisher)
출판등록 | 제313-2007-218호(2007년 11월 2일)
주소 | 서울시 마포구 월드컵북로 6길 97(연남동 567-40) 2층
전화 | 02-334-6123 팩스 | 02-334-6126 전자우편 | crm@viabook.kr 홈페이지 | viabook.kr

ⓒ 밤비, 2018
ISBN 979-11-86712-82-5 04810
        979-11-86712-81-8 04810(세트)